我不想当姐姐

画眉 文/图

天地出版社 | TIANDI PRESS

那一天，妈妈告诉玛丽安："你就要当姐姐啦。"
玛丽安很开心。

玛丽安想：
我会是一个好姐姐。

可是从那天起，妈妈就不让玛丽安和她一起睡觉了。妈妈说，玛丽安睡觉不老实，会踢到她肚子里的小宝宝。

新房间里只有玛丽安一个人，她害怕地缩进被子里，她听到好像有奇怪的脚步声，越来越近……她只好紧紧地捂住耳朵……

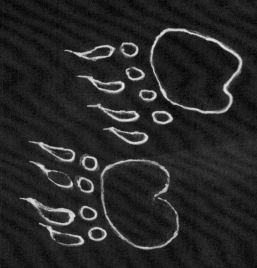

不知过了多久，玛丽安放开手，她的耳朵不见了！

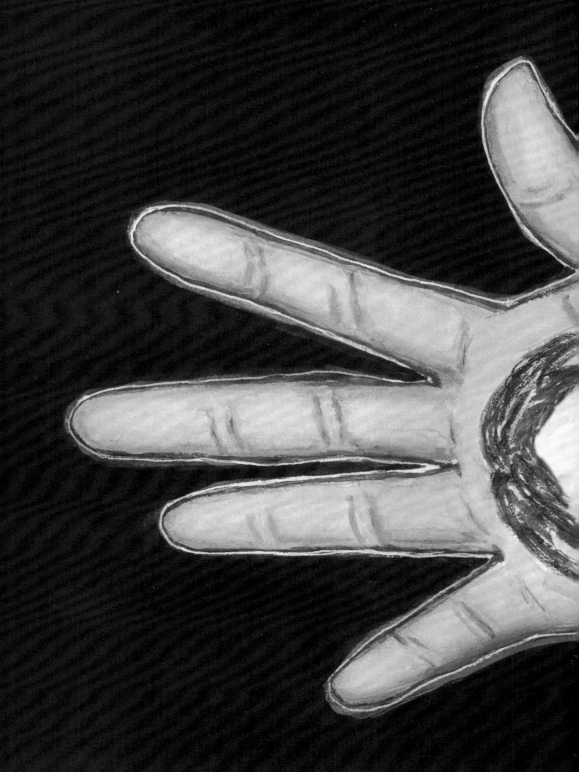

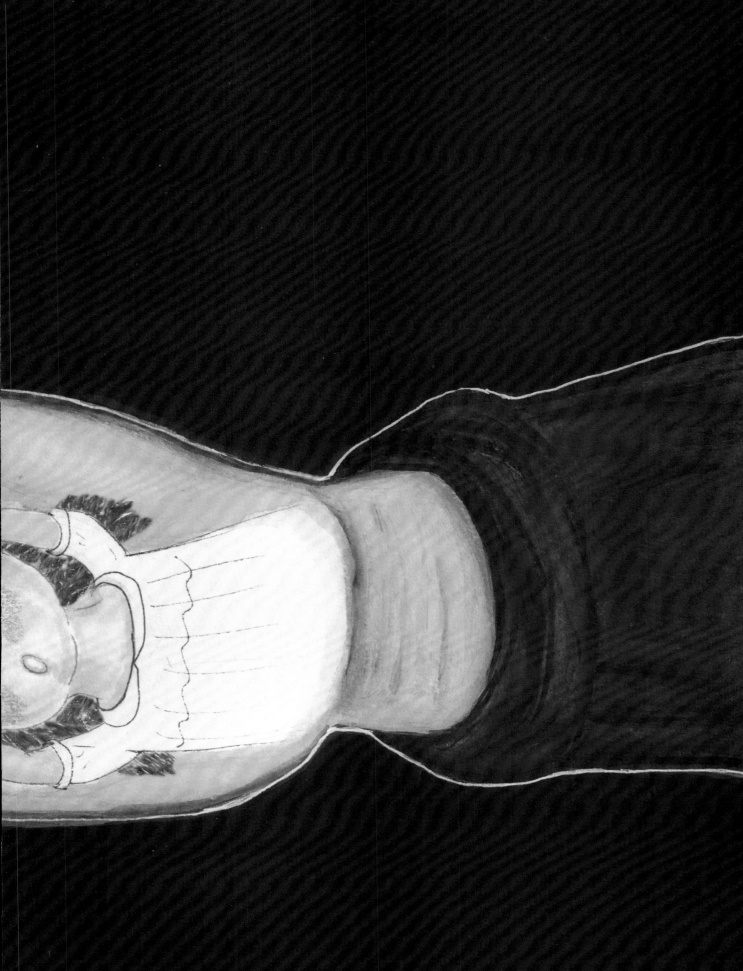

爸爸剪掉了玛丽安最喜欢的长头发。因为，妈妈早上没有时间帮玛丽安梳辫子。

漂亮的辫子没有了。

隔壁王阿婆遇见玛丽安，笑嘻嘻地说："玛丽安，听说你妈妈又要生宝宝了，你得乖乖的哦，不然小心他们不要你了。"

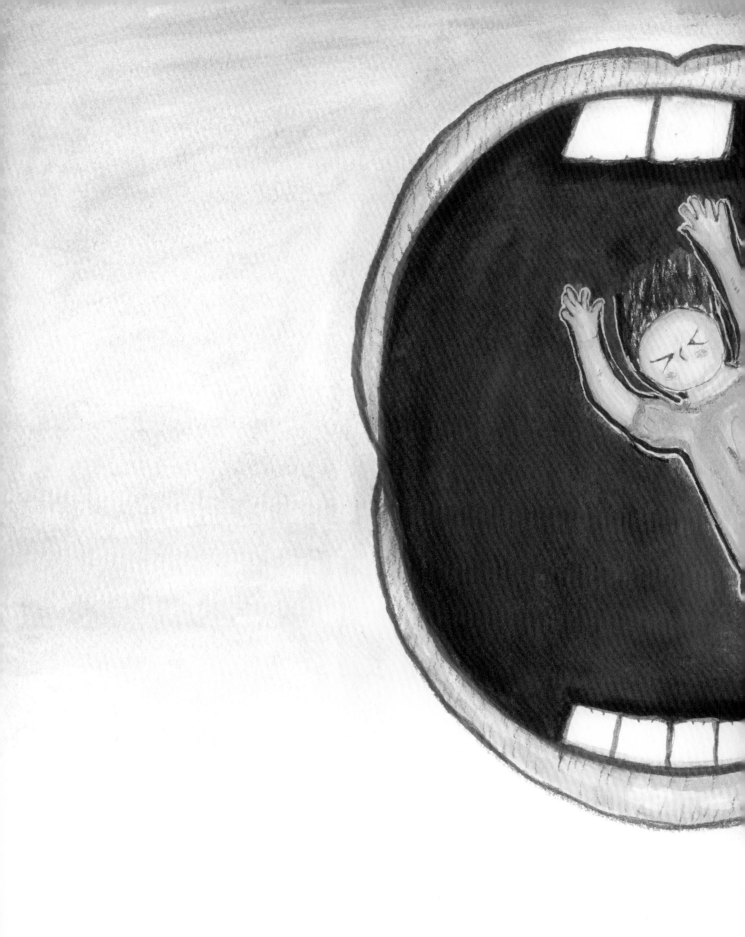

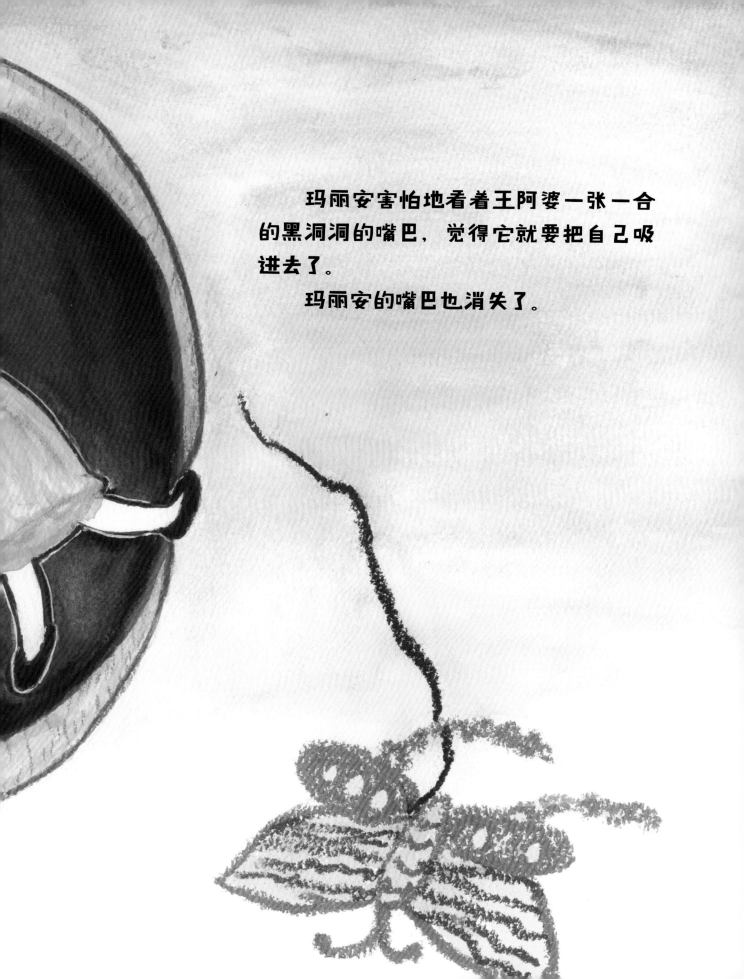

　　玛丽安害怕地看着王阿婆一张一合的黑洞洞的嘴巴，觉得它就要把自己吸进去了。

　　玛丽安的嘴巴也消失了。

一天，玛丽安听到爸爸妈妈在商量，小宝宝快要出生了，想把玛丽安送到奶奶家去住……

　　玛丽安冲进房间喊："不，我想和爸爸妈妈在一起。"

玛丽安是在睡梦中被抱上火车的，她醒来的
时候已经快到奶奶家了。
她的脚不见了。

　　奶奶每天都变着花样给玛丽安做好吃的，但她还是想回家。一次，玛丽安捡来很多银杏叶做树叶画，奶奶说她是捡垃圾的，把她的树叶画都扔了。

玛丽安大哭。奶奶说："好孩子才不会哭。"
可她怎么也停不下来，心里想着："我是坏孩子吗？
所以就像王阿婆说的，爸爸妈妈不要我了？"

　　不知哭了多久，四周都黑了。玛丽安让奶奶开灯，奶奶笑她哭糊涂了，太阳还没下山呢，开什么灯。

　　玛丽安的眼睛也不见了。

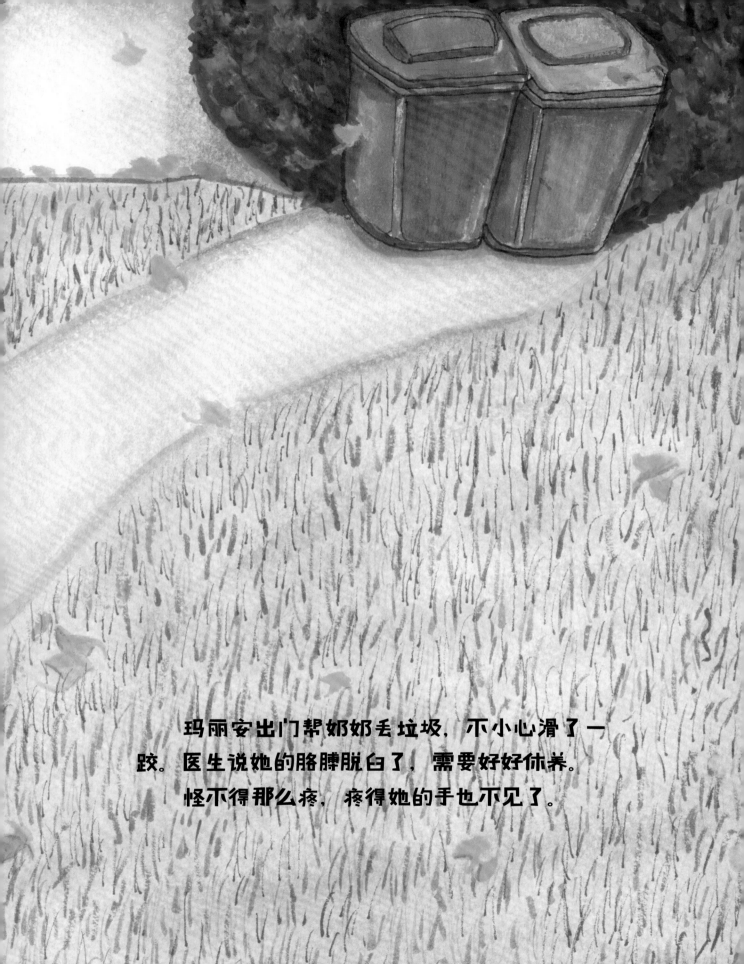

　　玛丽安出门帮奶奶丢垃圾，不小心滑了一跤。医生说她的胳膊脱臼了，需要好好休养。怪不得那么疼，疼得她的手也不见了。

妈妈终于来接玛丽安了！玛丽安使劲儿地挥舞胳膊欢呼起来。

妈妈嫌她吵到了妹妹睡觉。

玛丽安默默低下头。她的胳膊也不见了。

在妹妹的庆生派对上，玛丽安的表姑说：
"玛丽安，妹妹比你白，比你秀气，你脑门太大，
下巴不够尖。"
玛丽安的脑门和下巴不见了。

玛丽安和妹妹都喜欢小表姑送的猫头鹰玩具。保姆阿姨说:"你大,妹妹小,你应该让妹妹先玩。"

做姐姐就一定要委屈自己吗？玛丽安去问妈妈，妈妈正在忙，顾不上看她，直接说："要听阿姨的话。"

玛丽安的身体不见了。

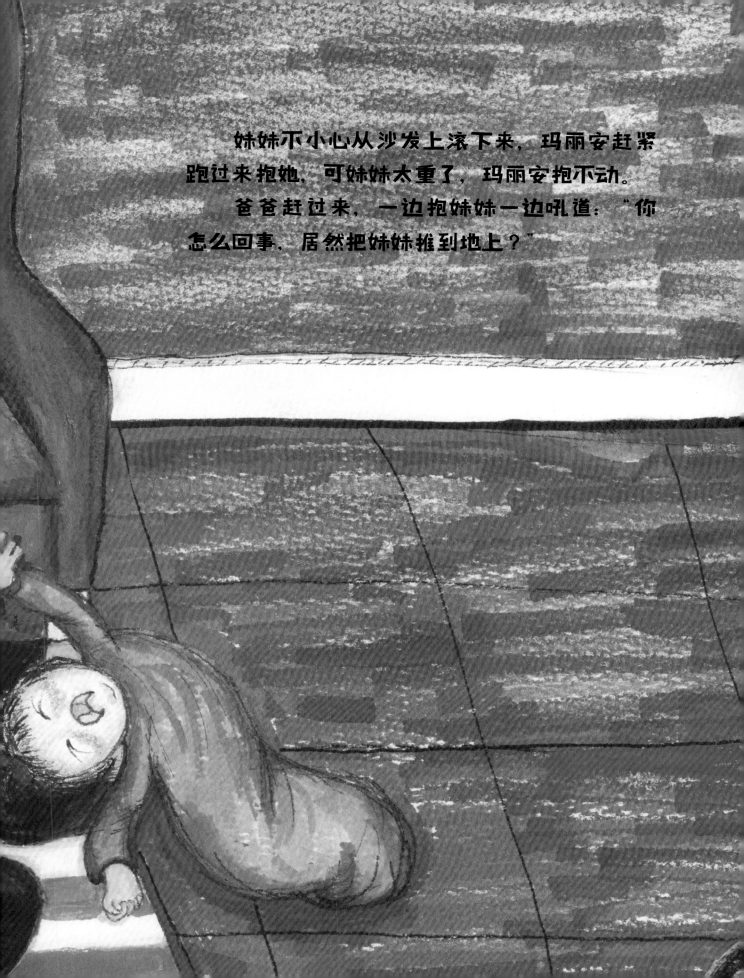

　　妹妹不小心从沙发上滚下来，玛丽安赶紧跑过来抱她，可妹妹太重了，玛丽安抱不动。
　　爸爸赶过来，一边抱妹妹一边吼道："你怎么回事，居然把妹妹推到地上？"

玛丽安的心也消失了，她整个人都轻飘飘地飞起来。

一直飞出窗外。

妈妈第一个发现玛丽安消失了。

爸爸里里外外找遍了，也没找到玛丽安，他
抱着那个玛丽安一直想玩、却一直没有玩到的猫
头鹰玩具，和妈妈一起哭起来。

他们的哭声那么大，惊动了神仙爷爷。
神仙爷爷告诉他们，北方有一个怪物，
它会带走不被爸爸妈妈疼爱的孩子。

玛丽安的爸爸妈妈决心
去北方找回心爱的女儿。

他们穿过森林。森林里有 999 条恶龙。
爸爸妈妈想要找回玛丽安的决心，帮他们
战胜了恶龙。

他们爬上高山。高山上有 999 个马蜂窝。
爸爸妈妈对玛丽安的内疚，让他们挺过了
被马蜂蜇的疼痛。

他们游过大海。大海里有 999 个大冰洞。
爸爸妈妈对玛丽安热烈的思念融化了冰洞。

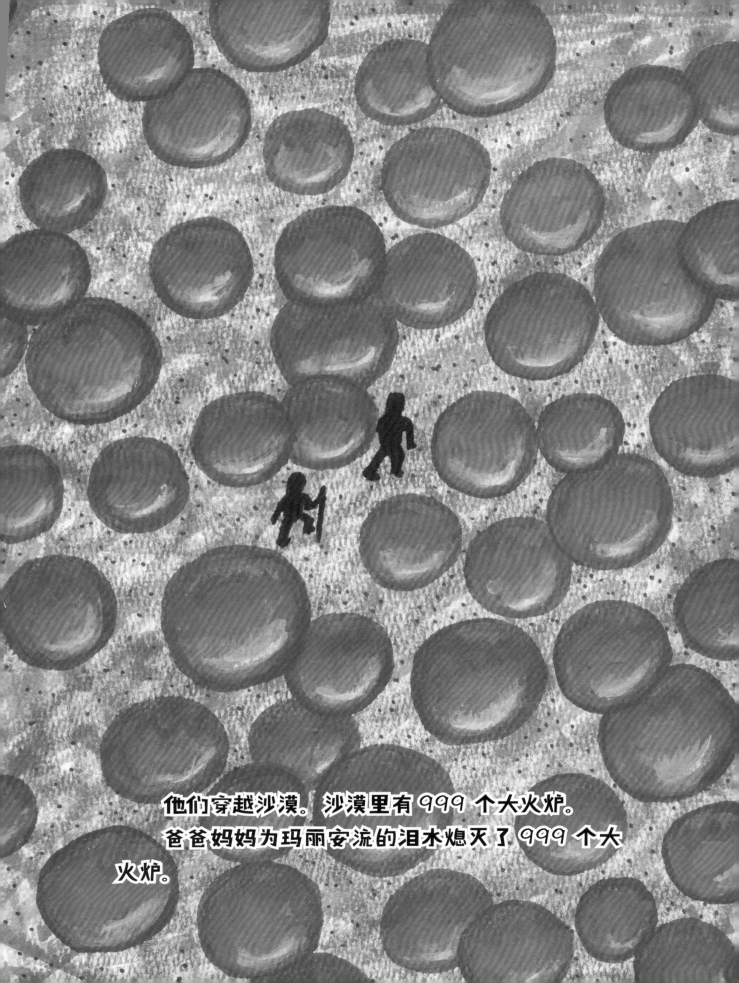

他们穿越沙漠。沙漠里有 999 个大火炉。
爸爸妈妈为玛丽安流的泪水熄灭了 999 个大
火炉。

即使流干了心里最后一滴泪水，他们仍然没有找到玛丽安。

他们的心发出"咔吧咔吧"的声音，"砰"的一声碎成了无数片。

奇迹发生了，玛丽安从漫天碎片中走了出来。

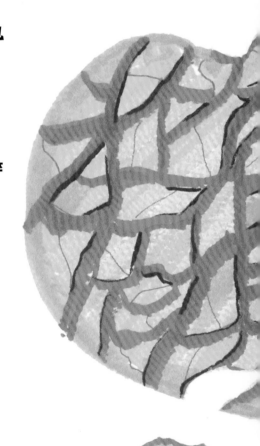

爸爸妈妈的心在玛丽安的身边合拢在一起，他们相拥着回到了家。爸爸妈妈紧紧地抱住玛丽安，不停地说着："亲爱的玛丽安，我们非常爱你！"

玛丽安也紧紧抱住爸爸妈妈和亲爱的妹妹，不停地说："我也非常非常爱你们！"

每一个小孩都被深爱着

画眉

在生下二宝之前，我起码听过五六位做姐姐的朋友的"投诉"，一个比一个悲惨。

作为独生女，我无法感同身受。所以从怀二宝起，我就小心翼翼地顾及大宝的感受。妹妹还在妈妈肚子里，就"从天上给姐姐带来不少礼物"。妈妈一个人在美国生妹妹已经很辛苦，但一定要把姐姐带在身边悉心照料。妹妹出生的时候，还给属虎的姐姐"从天上带来一条老虎图案的金项链"呢。

如此这般，当姐姐仍然委屈巴巴地说出"妈妈，我真不想当姐姐"时，你一定不难想象我的沮丧和难过。是的，我犯过错误，妹妹出生后，为方便夜间哺乳，我一度不再让四岁的姐姐和我同睡。虽然一再叮嘱，家里的老人还是会蹦出如"你是姐姐，要让着妹妹"的陈腐理论。保姆阿姨和邻居大妈人都很好，但难免会拿妹妹和姐姐做比较。虽然一再找机会努力和姐姐单独相处，但无论怎么透支自己，无论怎样企图"一碗水端平"，我都没法再给姐姐从前一样多的时间和精力……

我理解姐姐的受伤与迷惑，我将一再反省，不断更正。但姐姐理解爸爸妈妈对她的爱吗？《我不想当姐姐》这册绘本，就是想打通所有爸爸妈妈与姐姐之间淤结的爱，让蒙尘的心与眼重现光明与温暖。

我家姐姐说，她非常喜欢这本书，因为她在里面看到了自己，看到了自己的被看见，被懂得，和被深爱。

愿每个孩子都能被看见、被懂得、被爱

——读"小小孩没烦恼"暖心绘本之《我不想当姐姐》

文／易虹（前《女友》杂志集团总编辑，出版人）

作为一位绘本阅读的爱好者，我深深地被画眉的这本书打动了。

《我不想当姐姐》讲的是，小女孩玛丽安在得知自己要当姐姐之后的遭遇，让她产生的一系列心理波动。而玛丽安的父母因为忙着照顾新生儿，忽视了玛丽安，使她内心深受伤害，身体也渐渐消失了。后来，玛丽安的父母终于醒悟，并突破重重艰辛，终于用爱挽回了玛丽安的心。

这是一个令人心疼的故事，它略带"奇幻"的描述，拙朴而又富有想象力的画面，都让我过目难忘。书里的玛丽安在成为"姐姐"的过程中，表现出来的伤感、委屈等微妙情绪，也让我感同身受，不由得回忆起了自己有了妹妹又有弟弟的童年。

《我不想当姐姐》从有创作立意到完稿，画眉花了七个月的时间。最终，有了这本让父母看了能懂得孩子，孩子看了能理解父母的绘本。

故事里描述的是孩子初当姐姐的心理波折，故事背后却是在提醒父母关注孩子的心理健康，而孩子的心理问题，多半是父母自身问题的映射。

愿每一个孩子，都是父母心头的"唯一"。愿每一个孩子，都能被看见、被懂得、被爱。

图书在版编目（CIP）数据

我不想当姐姐 / 画眉文、图. -- 成都：天地出版社，
2019.8

（"小小孩没烦恼"暖心绘本）

ISBN 978-7-5455-4955-3

Ⅰ.①我… Ⅱ.①画… Ⅲ.①儿童故事－图画故事－
中国－当代 Ⅳ.①I287.8

中国版本图书馆CIP数据核字(2019)第097494号

我不想当姐姐 WO BU XIANG DANG JIEJIE

出 品 人	杨　政	**营销编辑**	吴　咚
总 策 划	陈　德　戴迪玲	**装帧设计**	刘黎炜
策划编辑	徐　宏	**责任印制**	刘　元
责任编辑	徐　宏　张　剑		

出版发行　天地出版社
　　　　　（成都市槐树街2号　邮政编码：610014）
　　　　　（北京市方庄芳群园3区3号　邮政编码：100078）
网　　址　http://www.tiandiph.com
电子邮箱　tianditg@163.com
经　　销　新华文轩出版传媒股份有限公司

印　　刷　北京尚唐印刷包装有限公司
版　　次　2019年8月第1版
印　　次　2019年8月第1次印刷
开　　本　787mm×1092mm　1/16
印　　张　3.5
字　　数　25千字
定　　价　25.00元
书　　号　ISBN 978-7-5455-4955-3